回転すし スシロー

まちがいさがし

だっこずしといっしょに

絵 平田 美咲
監修 株式会社あきんどスシロー

だっこずしのなかまたち

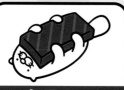

まぐろラッコ

すしのなかでじぶんが
いちばんだとおもっている。
おちょうしものだが、
じょうねつてきで、いいヤツ。

えびウサギ

おしゃれだいすき。
ぷりぷり、ぴちぴちのえびは
かわいいじぶんにぴったり
だとおもっている。

いくらパンダ

やさしくてなみだもろい、
かんどうやさん。
ぶきようで、いくらのツブを
おとしがち。

たまコッコ

ふしぎなオーラをはなつ、
ナゾなニワトリ。
いつもれいせいで、
てつがくがすき。

うにライオン

ライオンとウニのなにかけて、
じぶんにほこりをもっているが、
けしてうえからめせんに
ならない、じんかくしゃ。

〆さばワンコ

うらおもてなく、
ひとなつこいせいかく。
いつもようきで、
まいにちハッピー。

サーモンしろくま

まぐろラッコのライバルで、
しゅやくのざをねらっている。
かわいいかおして、
けっこうはらぐろい。

いかタイガー

トラのくせに、にくには
きょうみなし。プライドが
たかくて、えばりんぼうだが、
じつはけっこうビビり。

タコひつじ

ふわふわボディーが
キュートな
「だっこずしかいのアイドル」。
ほんにんは、わりとさめてる。

あじカワウソ

いつもげんきで、わんぱく。
にやけているように
みえるが、これが
まがおである。

はまちネコ

いやなことはすぐにわすれる、
のんびりや。ひなたぼっこを
すると、ネタがかわいてしまう
ことがなやみ。

ポテトビーバー

あかるいせいかく。
もはや、すしではないが、
ほんにんは、
きにしていない。

鉄火リス

まじめで、せいぎかん
あふれるリス。あつい
じょうねつをもつ、
ねっけつタイプ。

きゅうリス

しゅうさいで、ものしり。
べんきょうがすき。しょうらいは、
きゅうりをけんきゅうする、
がくしゃになりたい。

新香リス

はんなり、ゆったり、
マイペース。
こまかいことは、
きにしない、いやしけい。

梅しそきゅうリス

しげきてきなことが
すきなくせに、
おどろかすと、
すぐびっくりしちゃう。

おすしのクイズ

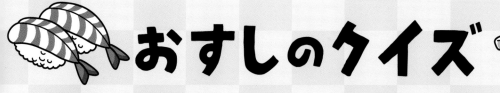

おすしにかんけいするクイズにちょうせんしてみよう！
きみは何もんわかるかな？　こたえはさいごのページだよ ▶

もんだい1

マグロいっぴき（やく100キロ）から、
おすしが何かんつくれるの？

1 やく500かん　　2 やく2500かん　　3 やく5000かん

もんだい2

おすしやさんでつかわれる「なみだ」ってことばは、
なんのこと？

1 こうかなネタ　　2 おきゃくさんが すくないこと　　3 わさび

もんだい3

おすしやさんでつかわれる「むらさき」ってことばは、
なんのこと？

1 しょうゆ　　2 のれん　　3 タコのあし

もんだい4

ぜんこくのスシローで、1ねんかんでたべられるおさらを
よこにならべると、ちきゅう何しゅうする？

1 ちきゅうやく 1しゅうぶん　　2 ちきゅうやく 3しゅうぶん　　3 ちきゅうやく 6しゅうぶん

もんだい5

スシローのおすしのしゃりをつくる「しゃりロボ」は、
1じかんに何このしゃりをつくれる？

1 やく360こ　　2 やく3600こ　　3 やく36000こ

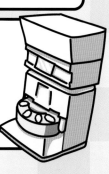

うみでさかなをとる

うみのなかにはおすしのネタになるマグロや
タコなど、たくさんのいきものがすんでいるよ。

まちがいは
10コあるぞ

タコの足はなんぼんあるか、
しっているかい？
うみのなかだけじゃなく、
そらやふねもよくみてね！

みなとでさかなをしわける

とれたマグロはふねのうえでれいとうされるから、
みなとについたときにはこおっているよ。

まちがいは
10コあるよ

ちょっぴり豆ちしき
マグロはなん度で
れいとうするの?
マグロはやく−50度で
れいとうされるよ。人間なら
10ぷんもがまんできないさむさ。
せんどをたもったじょうたい
だからとおくまではこべるよ。

※このぶんしょうはまちがいに
ふくみません。

ぜんこくにネタをとどける

しょくにんわざでかこうされたおすしのネタが、
ぜんこくのスシローにはこばれていくよ。

まちがいは
10コあるよ

ちょっぴり豆ちしき

「クサ」って
なんのこと?

ぐんかんまきでつかう
のりのことだよ。のりは
かんじで「海苔」とかき、
海草のしゅるいだから、
クサとよばれるんだよ。

※このぶんしょうはまちがいに
ふくみません。

おいしいおすしになるまで、
まださきはながいね！
みちのそばにたちならぶ
いえや木にもまちがいがあるよ！

ちょっぴり豆ちしき
なんで「ガリ」
っていうの？
ガリはしょうがをうす切りにして
味つけしたもの。たべると
「ガリガリ」おとがするから、
「ガリ」ってなまえが
つけられたんだよ。

※このぶんしょうはまちがいに
ふくみません。

おみせにネタがとどく

しんせんなおすしのネタがとうちゃくしたら、
おすしになるまでおみせでちゃんとほかんするよ。

まちがいは
10コある……

ちょっぴり豆ちしき

**おすしは
いつごろできたの?**

いまのにぎったかたちをした
おすしは、江戸じだいの
こうはんだよ。とうじは
「えどまえずし」ってなまえで
よばれていたんだ。

※このぶんしょうはまちがいに
ふくみません。

かいてんまえに、みんな
いそがしそうだね……！
おみせののぼりが、もしかしたら
あやしい……かも……！

みんながおみせにあつまる

おすしがだいすきなお客<ruby>客<rt>きゃく</rt></ruby>さんが、たくさんおみせに
あつまってきたよ！ みんなえがおだね！

まちがいは
10コあるよ

おみせのまわりだけじゃなく、
とおくのほうにみえる
たてものにもちゅういして
さがしてみよう!

おいしい おすしをつくる

ながいきょりをかけてはこばれてきた
おすしのネタが、てんないでおすしになるよ！

まちがいは
10コあるよ

ちょっぴり豆ちしき
おすしはなんで
ふたつなの？
むかしのおすしはひと口では
たべられないくらい
ひとつがおおきかったんだ。
だからたべやすいように、
ふたつにわけられたんだよ。

※このぶんしょうはまちがいに
ふくみません。

みんな だいすき スシローの おすし

タッチパネルでちゅうもんしたら、
すきなおすしがレーンにのってはこばれてくるよ！

まちがいは
10コあるよ

ちょっぴり豆ちしき

レーンはなんで
右まわり？
にほん人は右ききの人がおおく、
おはしをもたない左手だと
レーンをまわるおさらを
受けとめやすいから
だといわれているよ。

※このぶんしょうはまちがいに
ふくみません。

スシローの てんないの ようす

じゅんばんをまっていたり、おかいけいをしていたり、
スシローのてんないには人がたくさんいるね！

まちがいは
10コあるぜ！

セルフレジ

チェックイン

ボックスせき

まちあいせき

カウンターせき

おおぜい人がいるぜ！
みんなおすしがだいすきだな！
ん？ チェックインのきかいが
なにかあやしいぜ……！

セルフレジ

チェックイン

ボックスせき

まちあいせき

カウンターせき

まちがいさがし のこたえ

まちがいは それぞれ10コ

うみで さかなをとる

カモメがいない

せんがない

みなとで さかなをしわける

ゆかのせんがない　せんがすくない

ぜんこくに ネタをとどける

せんがすくない

光のかたち　けむりのかたち

おみせに ネタがとどく

せんがみじかい　ドアノブのいち

シャツのかざりがない

みんなが おみせにあつまる

せんのいち　くものかたち

せんのいち　石だたみのかたち

おいしいおすしをつくる

じょうきのいち

とってのいち　ぬののおおきさ

みんなだいすき スシローのおすし

中がお茶　かみのけのかたち

せんのながさ

スシローのてんないのようす

セルフレジ

チェックイン

ボックスせき

まちあいせき　カウンターせき

せんがすくない

木のたかさ

ボトルのいち

みつけられた？